Dla Kochanej Zuzi
od cioci Sylwii, wujka Karola
i Eryczka.

Joanna Kulmowa

RÓŻNE TAKIE

ZASYPIANKI

ilustracje: Michalina Cieślikowska-Kulmatycka

ZASYPIANIE SŁONIA

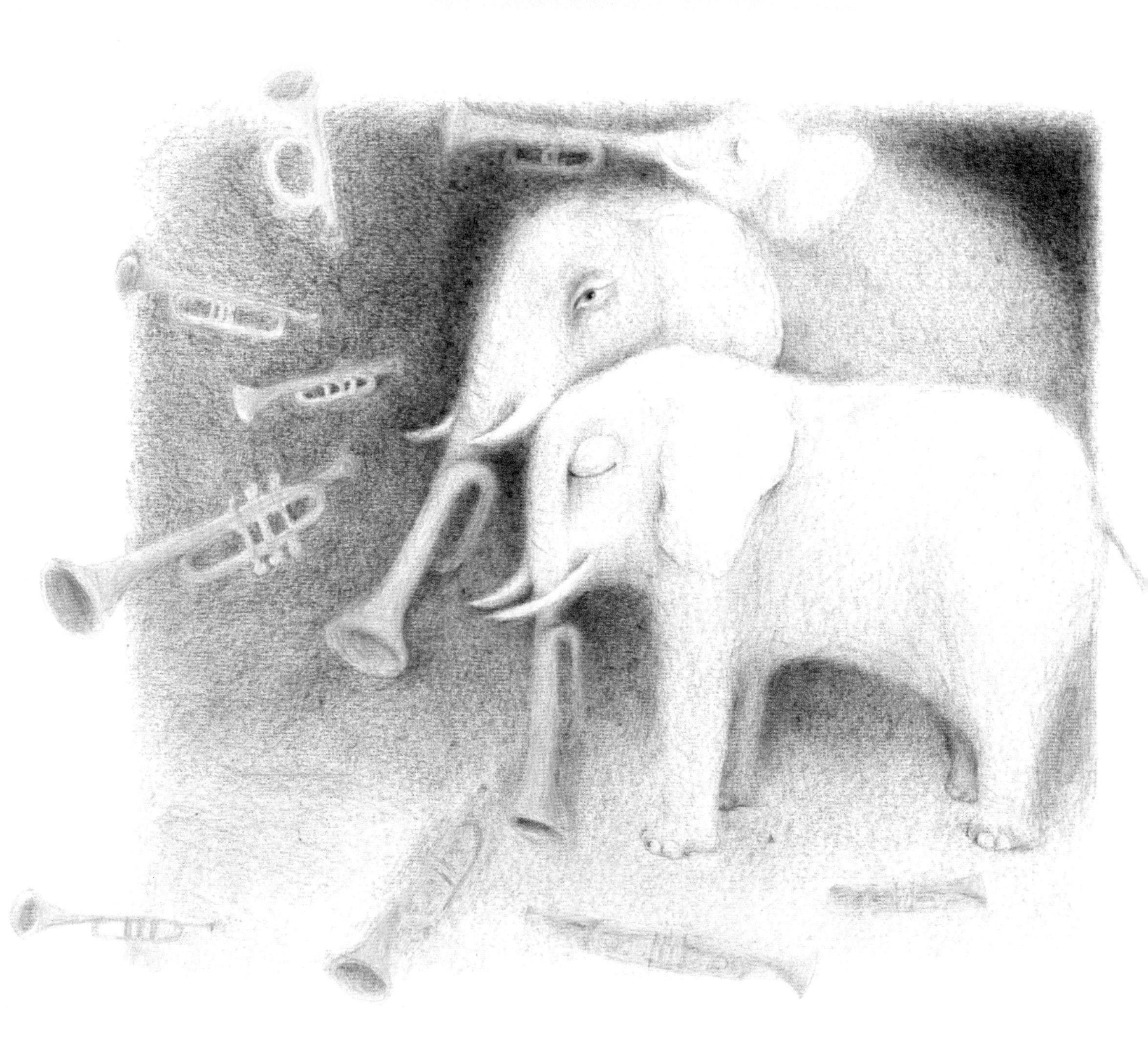

Ja wcale się nie dziwię
że słoń zasypia dopiero nad rankiem
skoro śpiewa sobie kołysankę
fałszywie.
A poza tym trudno ogromnie
spać
grając sobie na trąbie.
W ogóle jak tu myśleć o śnie
kiedy ktoś w trąbę dmie.
Ciekawam czy to kogoś ukołysze
gdy zatrąbi mu trąba nawet i najciszej.
Chyba nie ma o spaniu mowy
przy takim graniu
słoniowym.
Na szczęście słoń zna tylko sto pięć kołysanek
więc usypia nad ranem
kiedy wszystkie już fałszywie odegrane.

Mak ma głowę pełną zasypiania.
Już od wiosny sennie się słania.

Nie zaczeka aż go jesień odmieni.
Wcześniej do snu się rozbiera z czerwieni.
Ziarno snu za ziarnem snu przetrwoni
aż zostanie
z pustą głową
na zagonie.

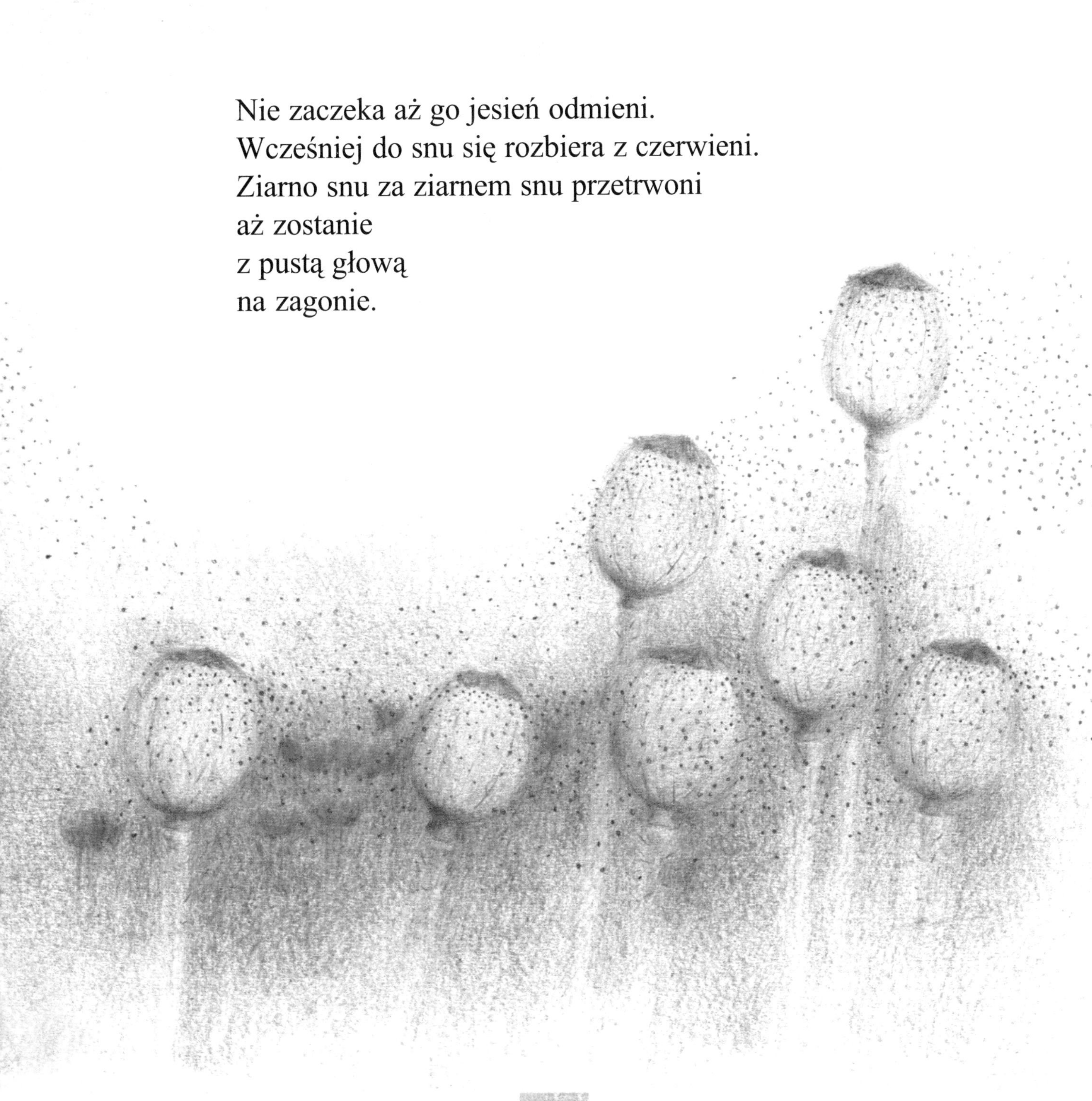

ZASYPIANIE KOGUTA

Bez koguta
nie przeminie ani minuta.
Jeszcze w dzień jako tako ujdzie
ale noce są całkiem kogucie.
Jeżeli wierzyć kwoce
to kogut pierwszym pianiem na północ dzieli noce.
A jak drugi raz nie zapieje
nie będzie świtu
chociaż niby to dnieje.
Jak nie porwie się do piania trzeci raz
– słońce wzejdzie
lecz zatrzyma się czas.
I zegary cykać będą daremnie
jeśli kogut nie w porę się zdrzemnie.
Choć powiada tamten i ten
że tak naprawdę
to kogut w nocy śpi
i trzy razy pieje
przez sen.

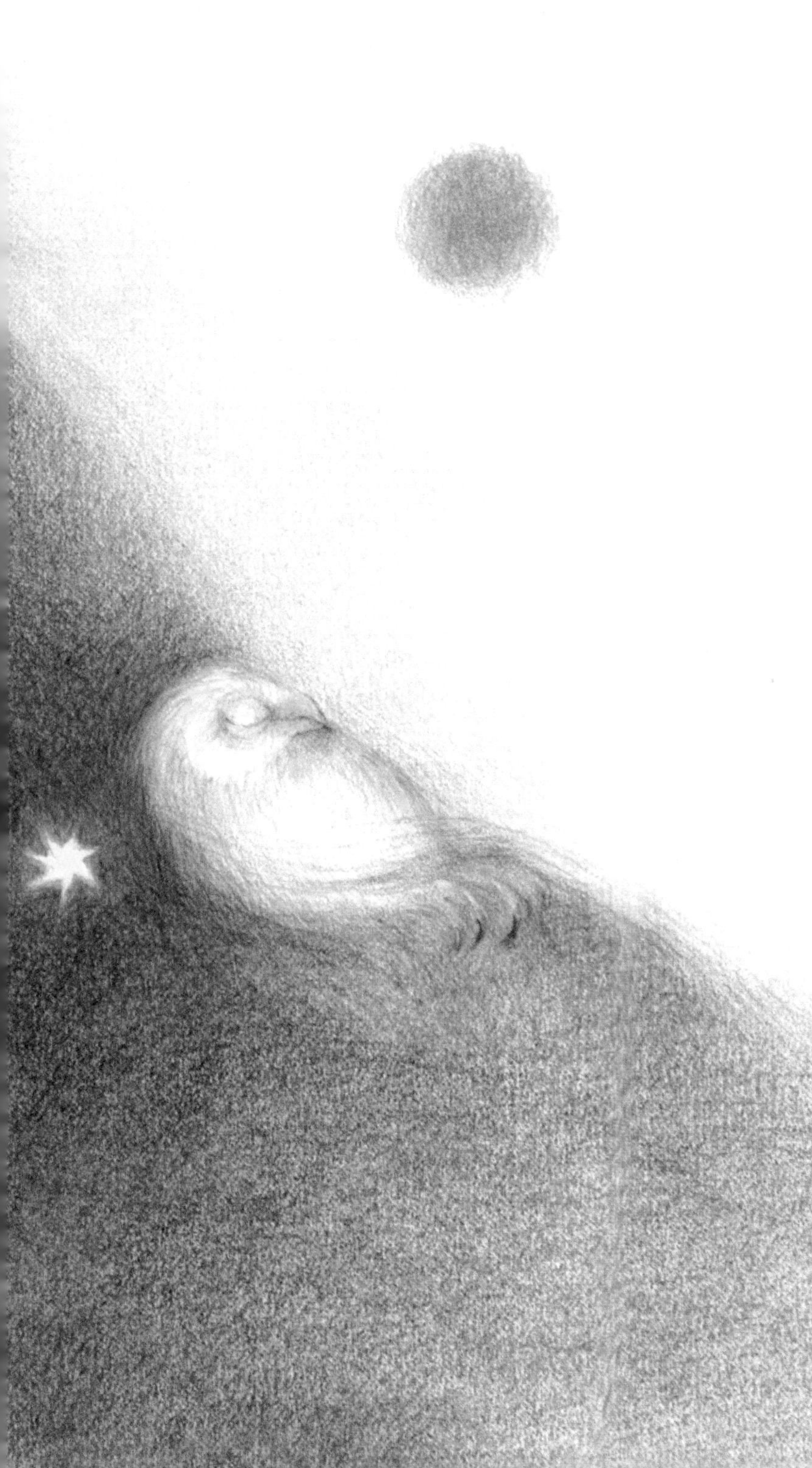

Sowa
za nic nie zaśnie
póki nie będzie jaśniej.
Już jej się kleją oczy
ale nie uśnie
bo mrok uroczy mroczy.
Już ma ochotę ziewnąć
ale nie ziewnie
bo taka rześka ciemność.
Już ją czuwanie zmorzyło
nie zdrzemnie się
póki tak miło.
Nie nastroszy się
nie odpocznie
pokąd szaro jej
mglisto jej
mrocznie.
Dopiero jak zrobi się jaśniej
spojrzy w słońce i zaśnie
właśnie.

ZASYPIANIE HIPOPOTAMA

Hipopotam taki jest duży
że choćby się ułożył w najmiększej kałuży
i choćby legowisko trzcinami wymościł
nie zaśnie od razu w całości.
Najpierw mu zasypia ogonek.
A to za mało na taką personę.
Potem nogi.
Ale od nóg do głowy niezły kawał drogi.
Później brzuszysko.
Lecz i to nie wszystko.
Wreszcie jedno ucho.
Wreszcie drugie ucho.

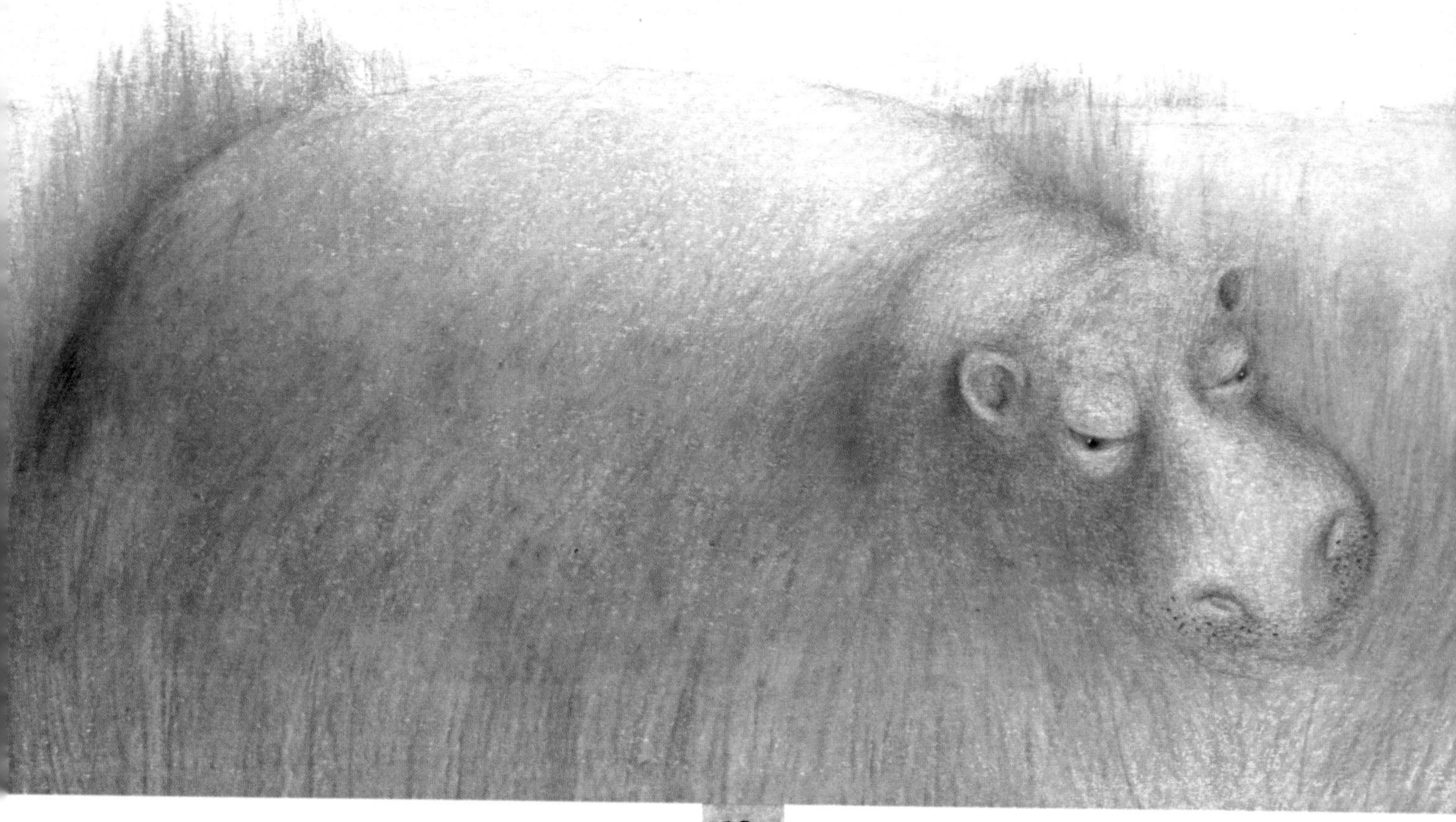

I to ze spaniem ciągle jeszcze krucho.
Na koniec jedno oko.
Na koniec drugie oko.
A na ostatku gęba ziewa tak szeroko
aż połyka sen
taki smaczny i duży
że przebudzenie
będzie
trwało
jeszcze
dłużej.

ZASYPIANIE CHOMIKÓW

Chomiki
w zasypianiu mają świetne wyniki.
Zasypiają rano.
Zasypiają w południe.
Zasypiają po obiedzie.

Może nie zasypiają w nocy.
Ale tego
nikt z nas
śpiących
nie może wiedzieć.

Baran
kiedy zdenerwowany
żeby zasnąć – musi liczyć barany.

Policzyłby czarnego –
cóż
skoro go nie lubi.

Policzyłby rudego –
cóż
zaraz się z nim poczubi.
Policzyłby kudłatego –
przegna go z pastwiska.

Policzyłby łysego –
widzieć nie chce tego baraniska.
Policzyłby tego w łaty –
bić go chce.
Policzyłby chociaż te pokorne owce
ale żal mu puścić je na dobrą trawę.
Już nie ma co na sen liczyć
nawet.

Moja lewa noga lubi gdy jej ciemno
i
żeby nie wiem co
usypia codziennie przede mną.
Mieć taką ścierpiętą nogę

nie bardzo przyjemnie.
Ale to jeszcze wybaczyć jej mogę
byleby nie budziła się wcześniej niż ja
i nie wstawała beze mnie.

ZASYPIANIE WIEWIÓREK

Wiewiórki zbierają sny
puszyste jak ptasie piórka.
Wiewiórki ciułają sny
po dziuplach
po mysich dziurkach.
Sny miękkie
przytulne
pierzaste
upychają na dno szpaczych gniazdek.

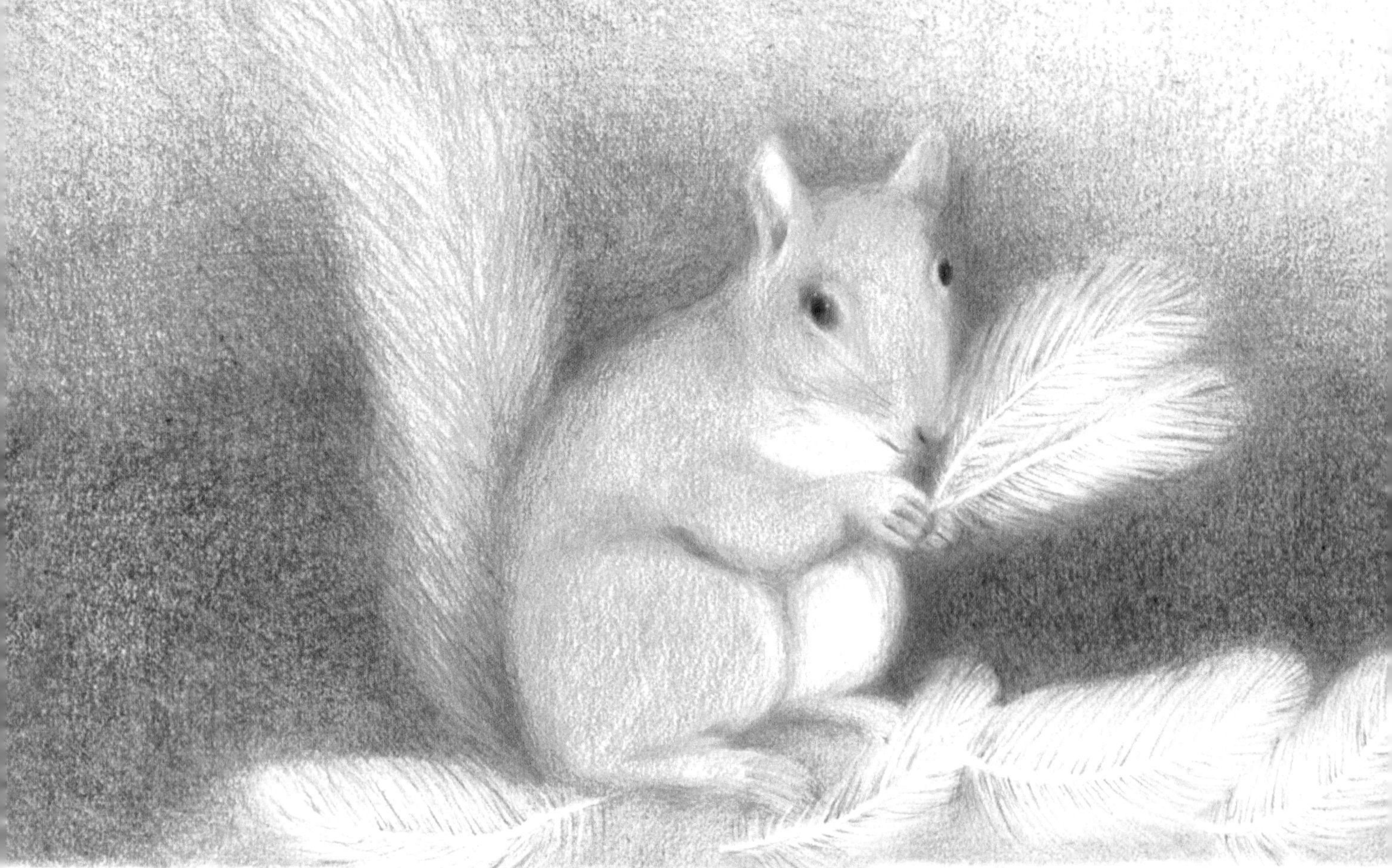

A później nie mogą znaleźć
tych gniazdek
tych nor
tych jamek.

I sny mają już nie te same.

Albo nie śnią wcale.

ZASYPIANIE MOTYLA

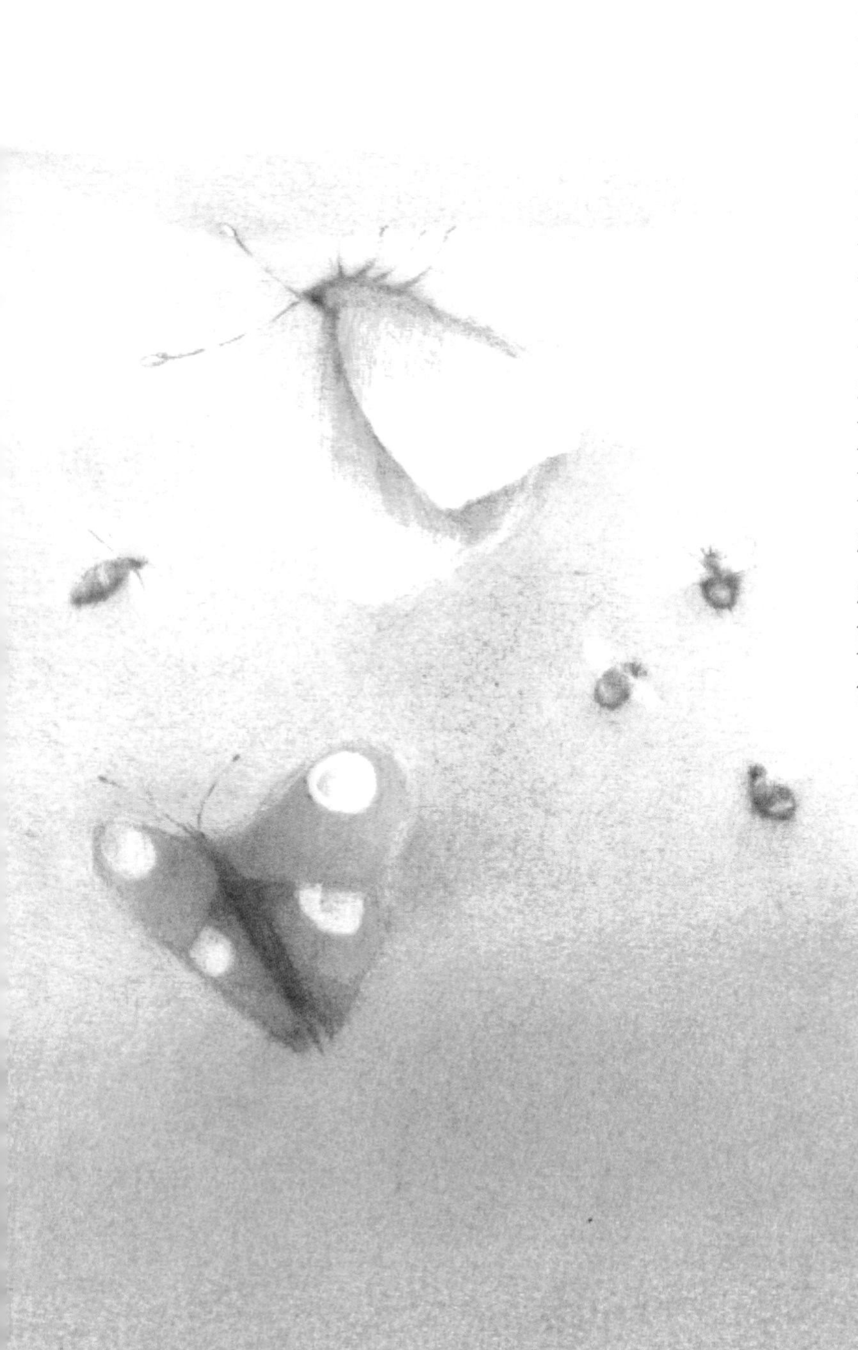

Motyl zasypia powoli
bo go prędkie zasypianie boli.
Boli go
że ma schować się pod liściem
kiedy trzmiele buczą
tak zadzierzyście.
Boli go
że ma być jak płatek suchy
kiedy tańczą jeszcze osy i muchy.
Boli go
że ma zszarzeć
że przygasnąć
kiedy tak kolorowo
tak jasno.

Niby drzemie
ale czeka jesień całą
żeby wszystko przed nim zgasło
poszarzało.
I dopiero jak zobaczy zimę
w tym śnie nieśnie
to na dobre zaśnie
zgaśnie
bezboleśnie.

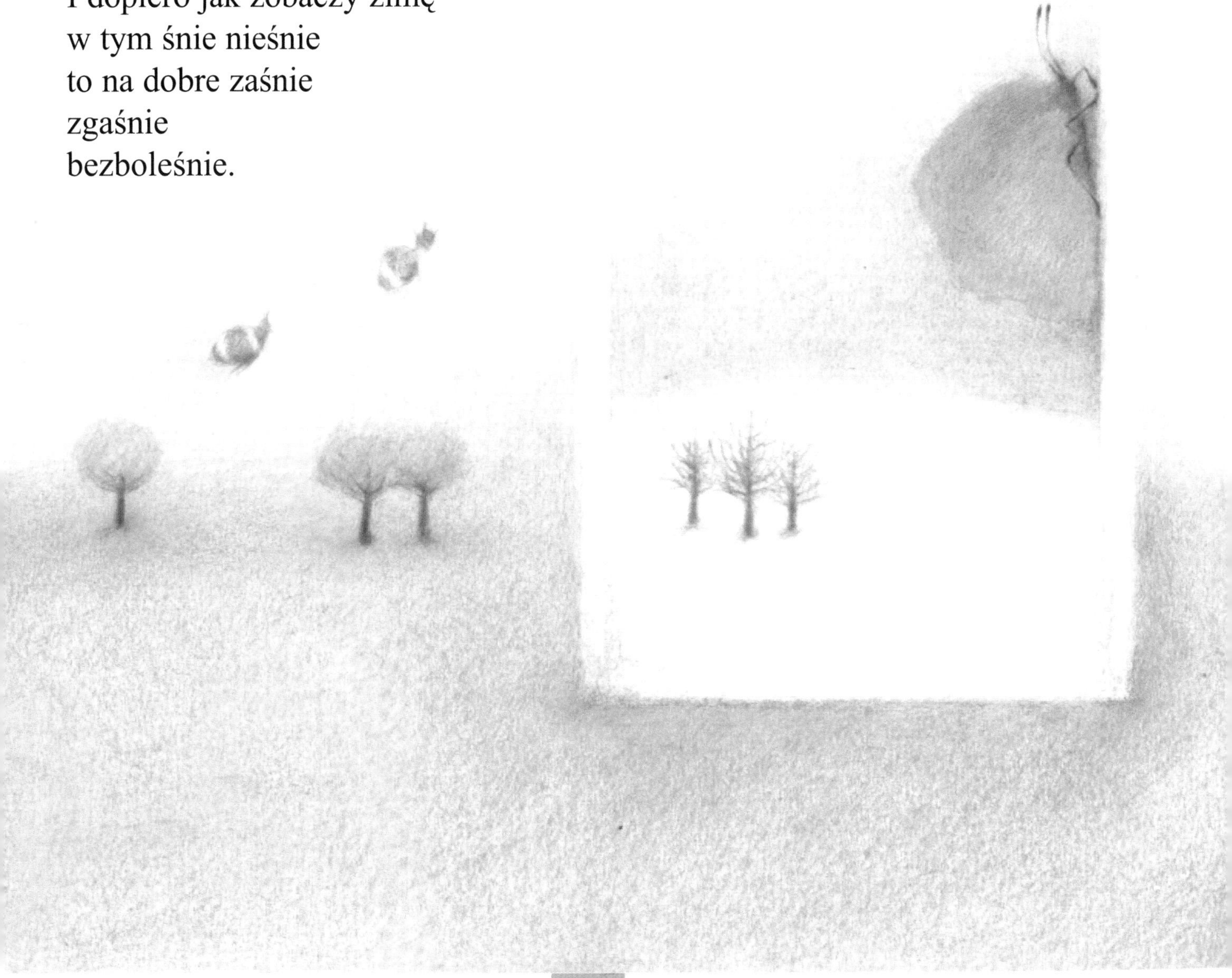

ZASYPIANIE MYSIKRÓLIKA

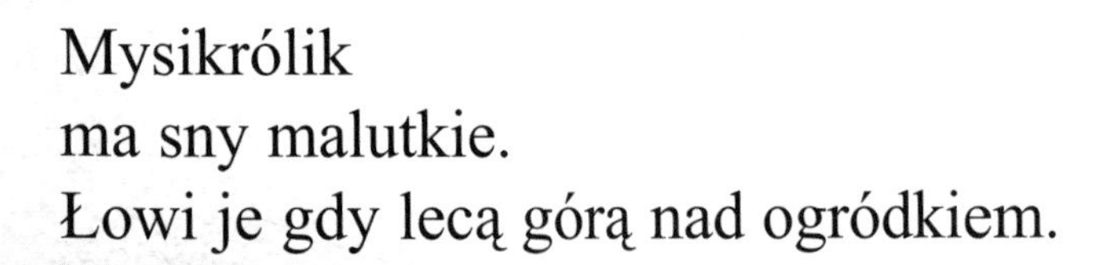

Mysikrólik
ma sny malutkie.
Łowi je gdy lecą górą nad ogródkiem.

Albo wydziobuje z rabatek
czworonożne pliszki –
myszki skrzydlate.

Mysikrółik
cieszy się przed zasypianiem
że ma własną mysią–plisią kompanię.
Potem śni drobniutko
wolno
jak najciszej
żeby całą noc być mysikrólem
pliszek myszek...

Kiedy zegarom-wędrowcom droga zanadto się dłuży
to zasypiają w marszu
jak utrudzeni piechurzy.

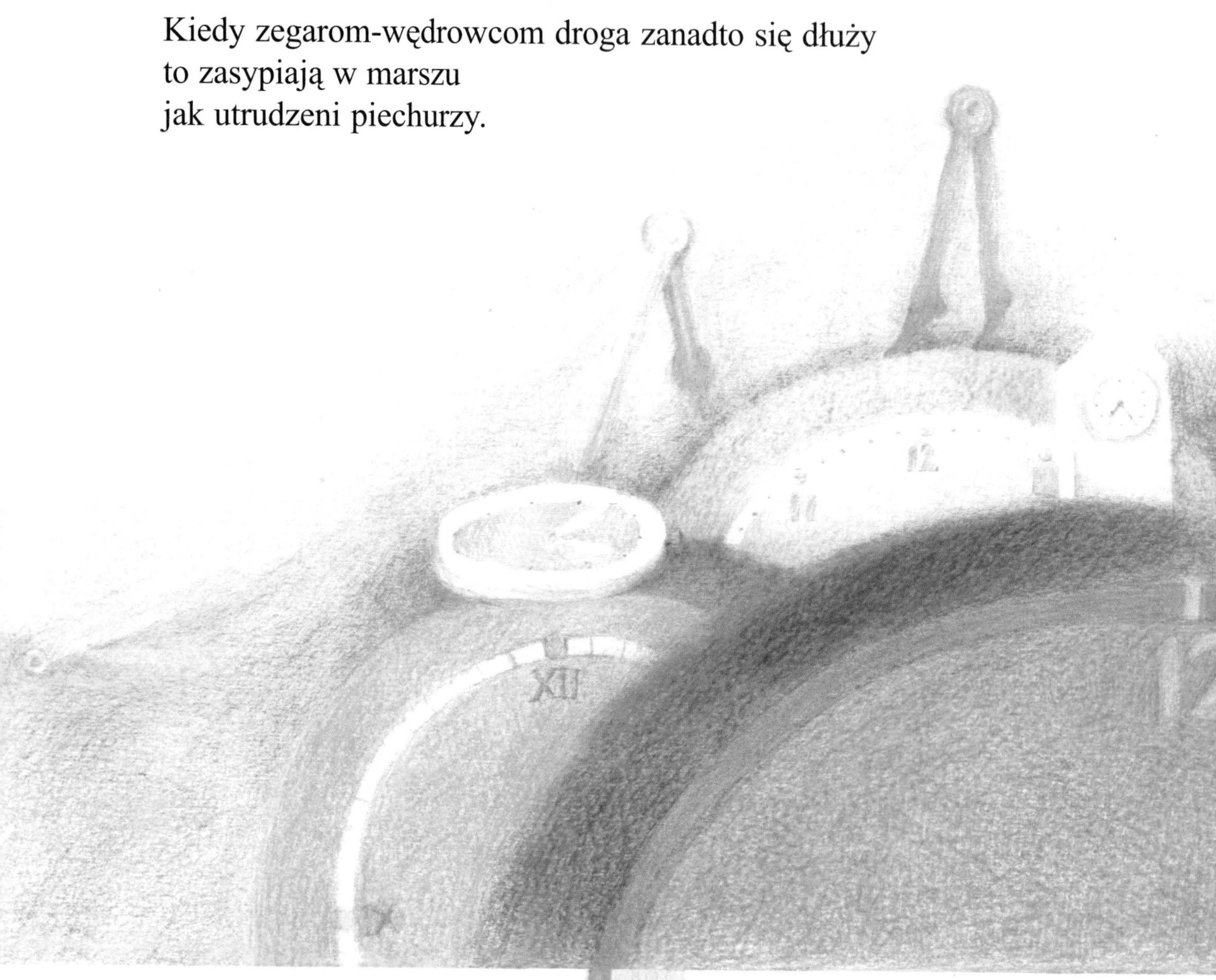

Trzeba wtedy chodzić na palcach.
Nie wolno robić hałasu.
Nie można mówić głośno
żeby ich nie zbudzić za wcześnie.
Bo dopóki idą sennie
bezmyślnie
bez sensu tykają we śnie
to mamy tyle czasu.
Tyle
tyle czasu.

ZASYPIANIE PAWI

Zasypia już paw z pawicą.
Ale pawie pióra patrzą i widzą.
Pawi ogon rozpościera się szeroko
i z każdego pióra mruga małe oko
duże oko
oko ciemne
i oko jasne.
Oko modre widzi niebo modre.
Zielone
zieloną gwiazdę.

Czarne widzi
czarną wodę.
A to szare –
szare gęsi na stawie.
A to białe widzi księżyc biały.
A to złote –
złoty świt
co złoży ogony pawie
żeby pióra spały
żeby oka nie mrugały.

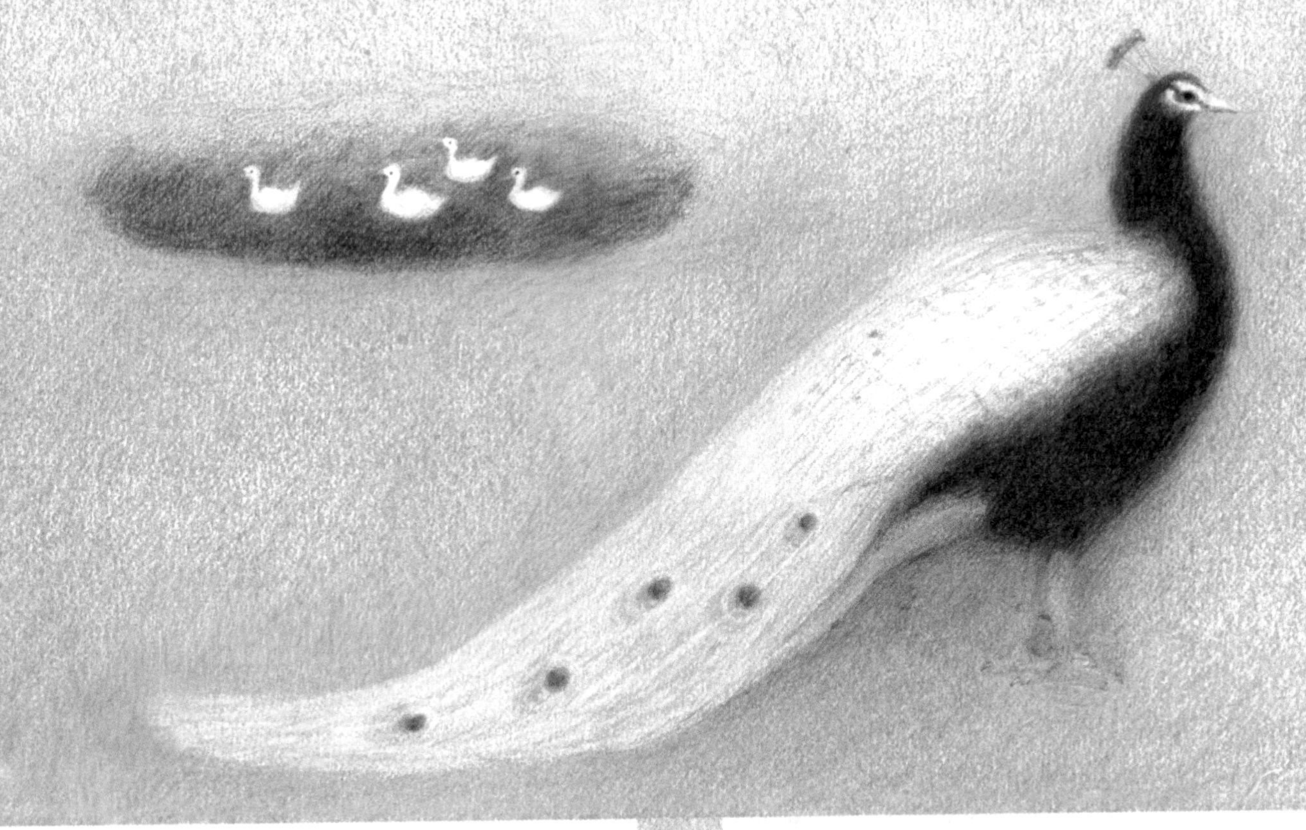

ZASYPIANIE SARNY

Sosenki
ze snu sarenki
dają susy na badylach cienkich.
Skacze dąbek
zieloniutki sarniak.
Brzózka truchtem trawę rozgarnia.
A po niebie co w tym śnie się niebieści
turlają się białe kłaczki sarniej sierści.
Buki
świerki
rozbrykały się we śnie.
Biegną stadem nad jeziorko leśne
żeby z lustra wody pod korzeniem
wypić do dna całe sarnie przyśnienie.

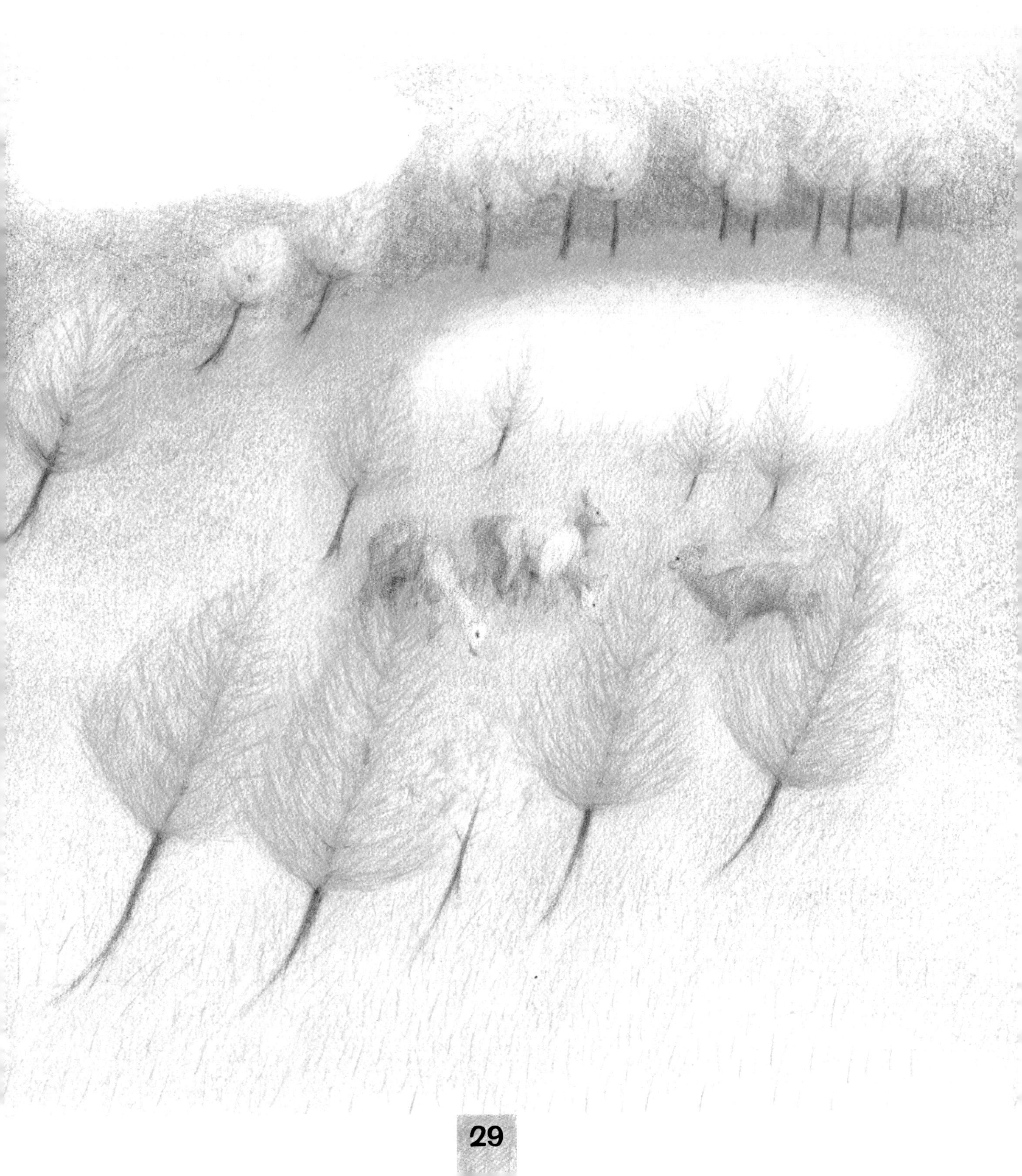

ZASYPIANIE ŻYRAFY

Żyrafa sypia w połowie.
To zasypianie ma w nogach.
To znów zasypianie ma w głowie.
Albo śpi brzuch żyrafi i żyrafie boki
albo nos żyrafi i żyrafie oczy.

Bo takiej szyi
wysokiej
wysokiej
sen za jednym snem
nie przeskoczy.

Kiedy nogi śpią bez pamięci
uszy wiedzą
że się lew gdzieś blisko kręci.
Kiedy głowa śpi jak zabita
chcą uciekać przed lwem
kopyta.

I tylko wtedy
żyrafa stanie się śniadaniem lwa
kiedy ją i z góry i z dołu
z obu żyrafich połów
napadną sny
dwa.

ZASYPIANIE BUTÓW

Zasypiającym butom
marzy się
marszruta za marszrutą.
Marszruta
przez bagniska
mokradła
aż im rozkwitają sznurowadła.

I marszruta
przez bory
lasy
aż zielenią się im obcasy.

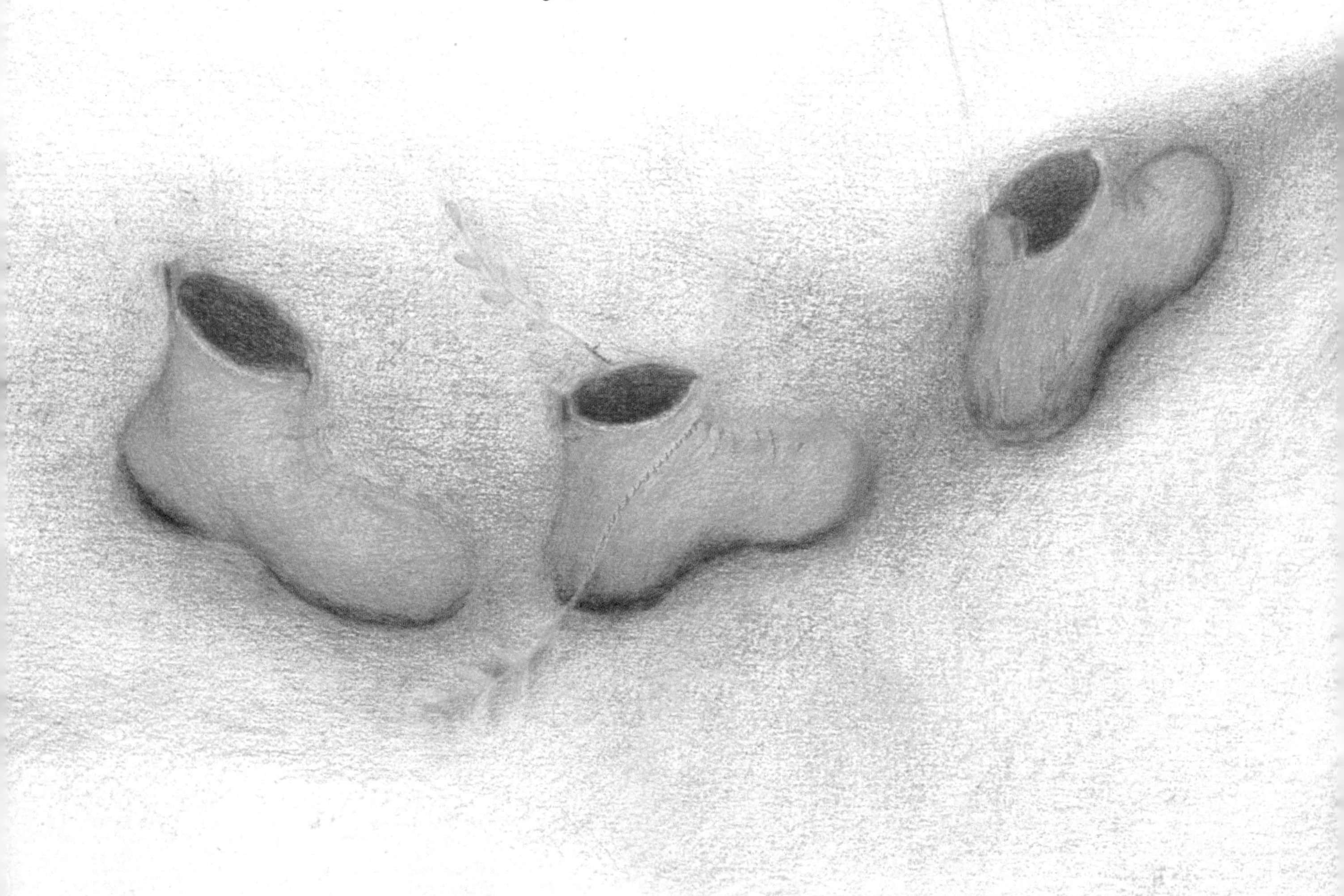

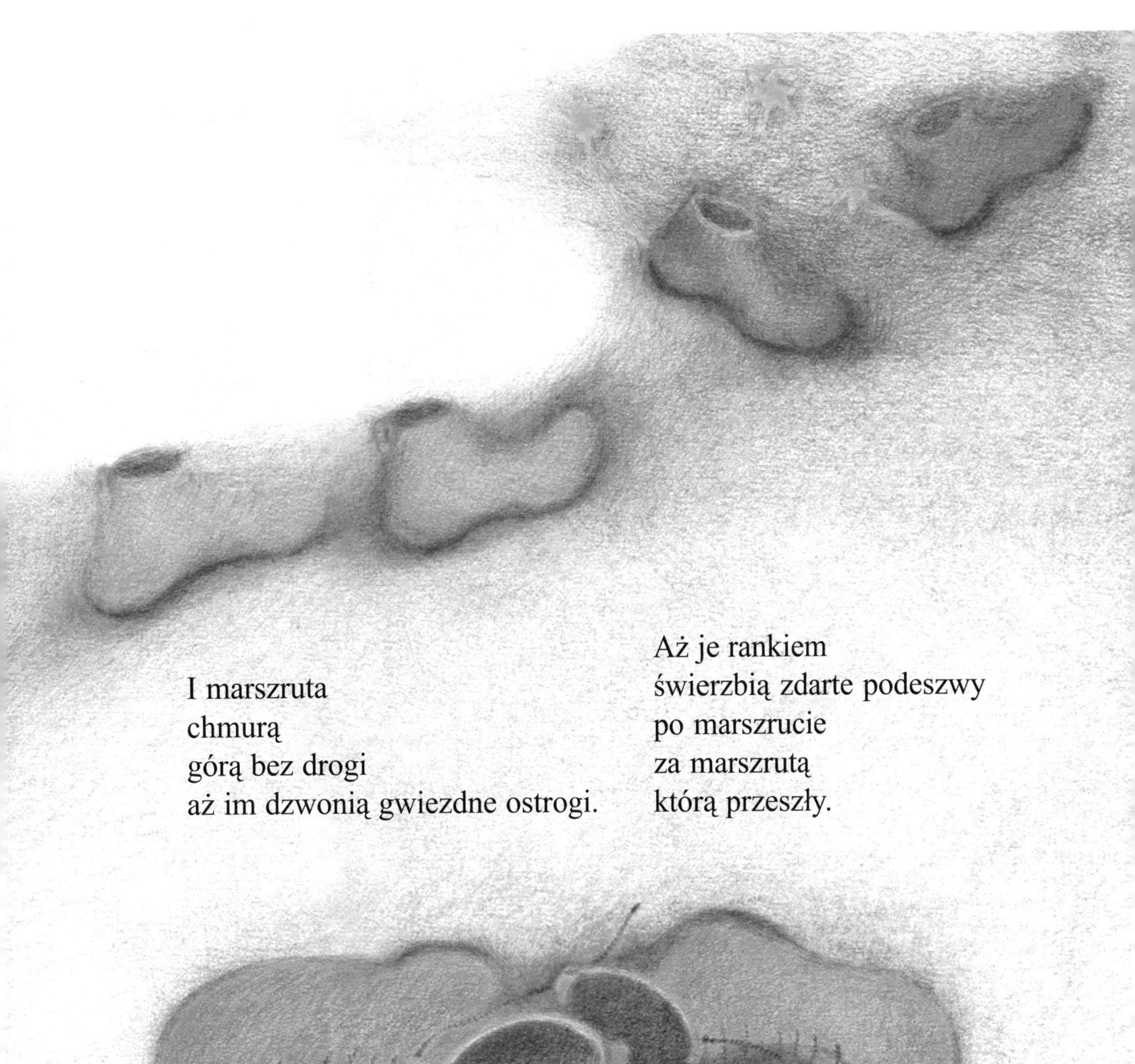

I marszruta
chmurą
górą bez drogi
aż im dzwonią gwiezdne ostrogi.

Aż je rankiem
świerzbią zdarte podeszwy
po marszrucie
za marszrutą
którą przeszły.

ZASYPIANIE ŚLIMAKÓW

Ślimaki
zasypiają inaczej.
Ślamazarne są sny ślimacze.
Ślimaczą się.
Plączą się w kłębek.
W muszle pchają się
głębiej
najgłębiej.

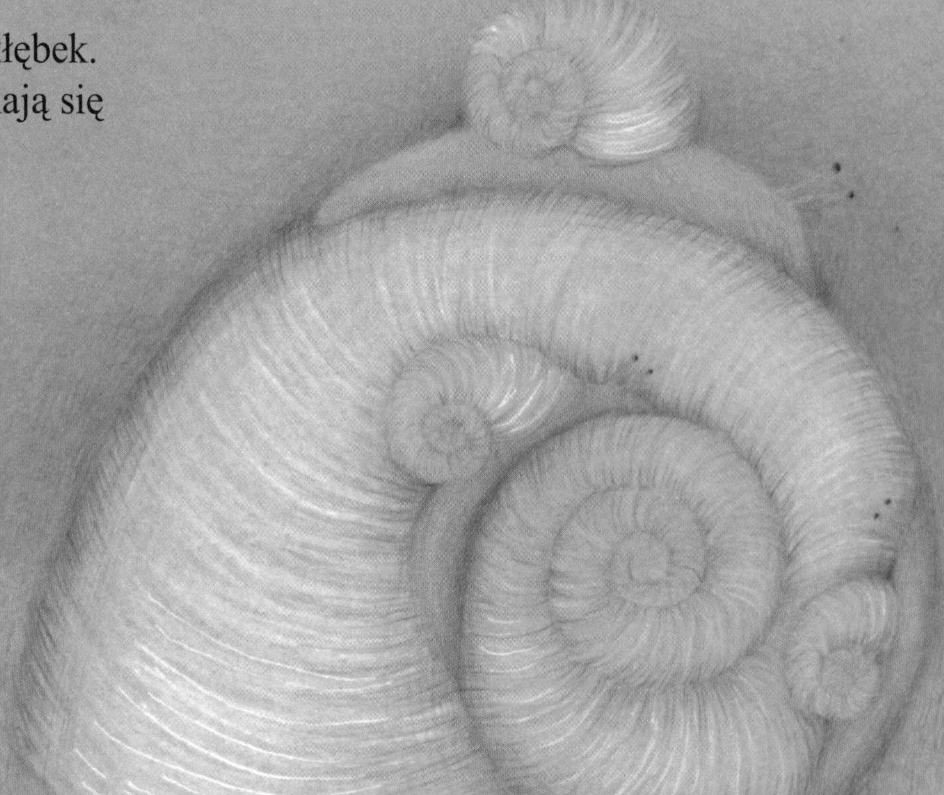

Potem byle kto je prześni
przesłucha
kiedy pustą muszlę zbliży
do ucha.

ZASYPIANIE SŁOWIKA

Sen słowika
to zwinna muzyka
więc ledwie słowik zasypia
sen mu się dzióbkiem wymyka
rozprostowuje lotki
wzbija się – dzwoni zawzięcie
i słychać po lasach
po ogrodach
wszędzie
tryl słodki – słowicze zaśnięcie.

A słowik tej muzyki słucha
i śpi
bo mu się podoba
dzwonienie o księżycu spasionym jak mucha
o gwiazdkach sypiących się prosto do dzioba.
Drzemie słowik ale dzioba nie zamyka
żeby sen wydzwonił się do końca.
A o świcie muzyka w brzuchu słowiczym znika
i śpi słodki sen słodko
do zachodu słońca.

ZASYPIANIE NIEDŹWIEDZIA

Gdyby stary niedźwiedź nie był takim śpiochem
nikt by o nim nie pamiętał ani trochę.
Nikt by o nim nie śpiewał
i nie byłoby mowy
że sen ma jak stary niedźwiedź – mocny taki i zdrowy.
Że przesypia dobre pół kalendarza.
Że dlatego
nic niemiłego
nigdy mu się nie zdarza.
Bo jak nie śpi – jest lato
słońce
ptasi koncert.
A jak śpi – sny ma o tym co zna:
też słoneczne
też śpiewające.
I za to nucimy niedźwiedziom
i za to lubimy misie
że im tak smacznie
tak mile
tak niedźwiedzio śpi się.

Nocą ziemia toczy się dalej
i toczą się dalej wagony
i my też
chociaż leżymy
płyniemy na brzeg nieznajomy.

Na poduszce jak na łodzi ratunkowej
na wzburzonych falach posłania
pod niebieskim żaglem zasypiania
pod niebieskim żaglem zasypiania
pod niebieskim żaglem zasypiania.

SPIS WIERSZY

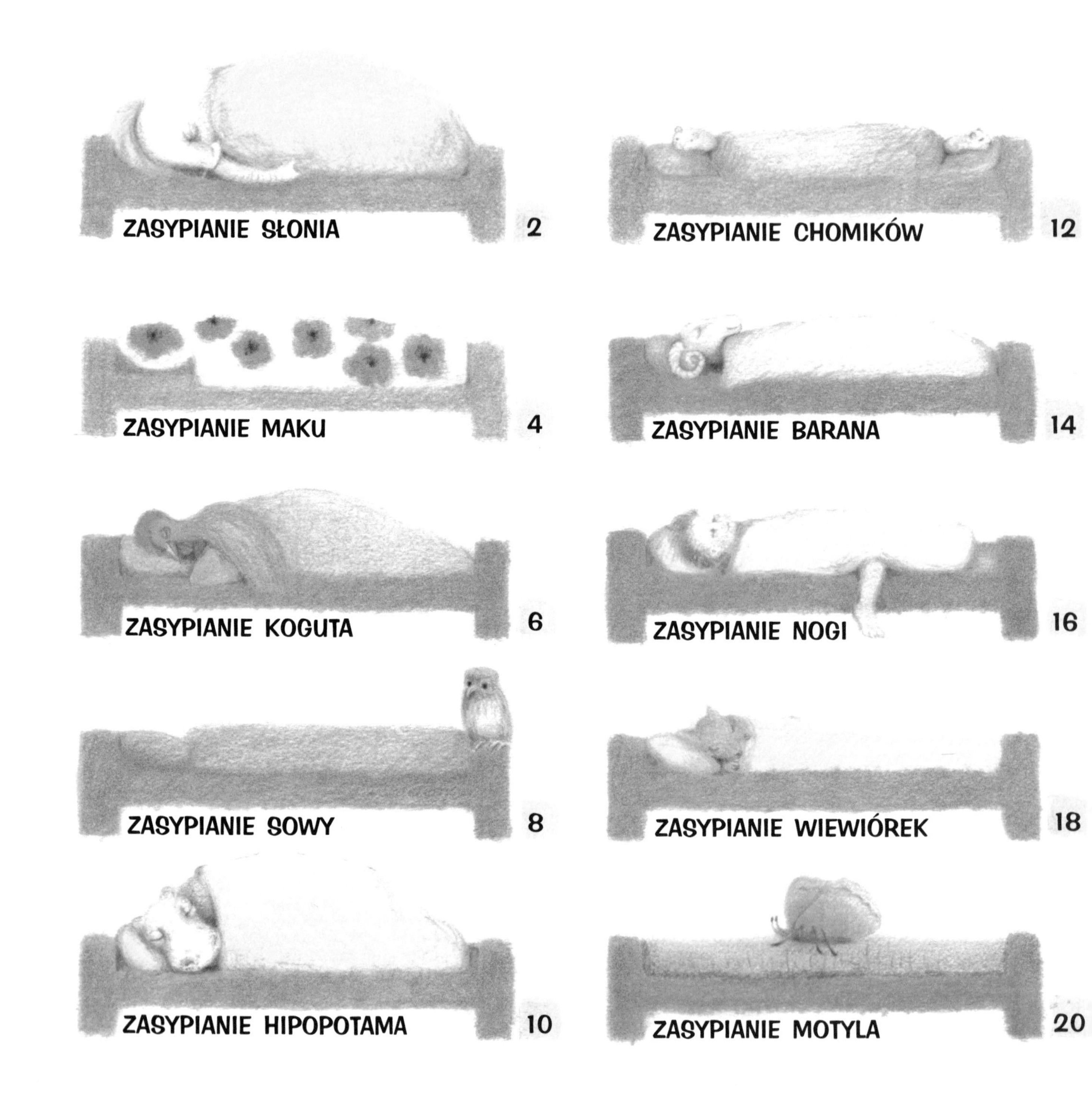

SPIS WIERSZY

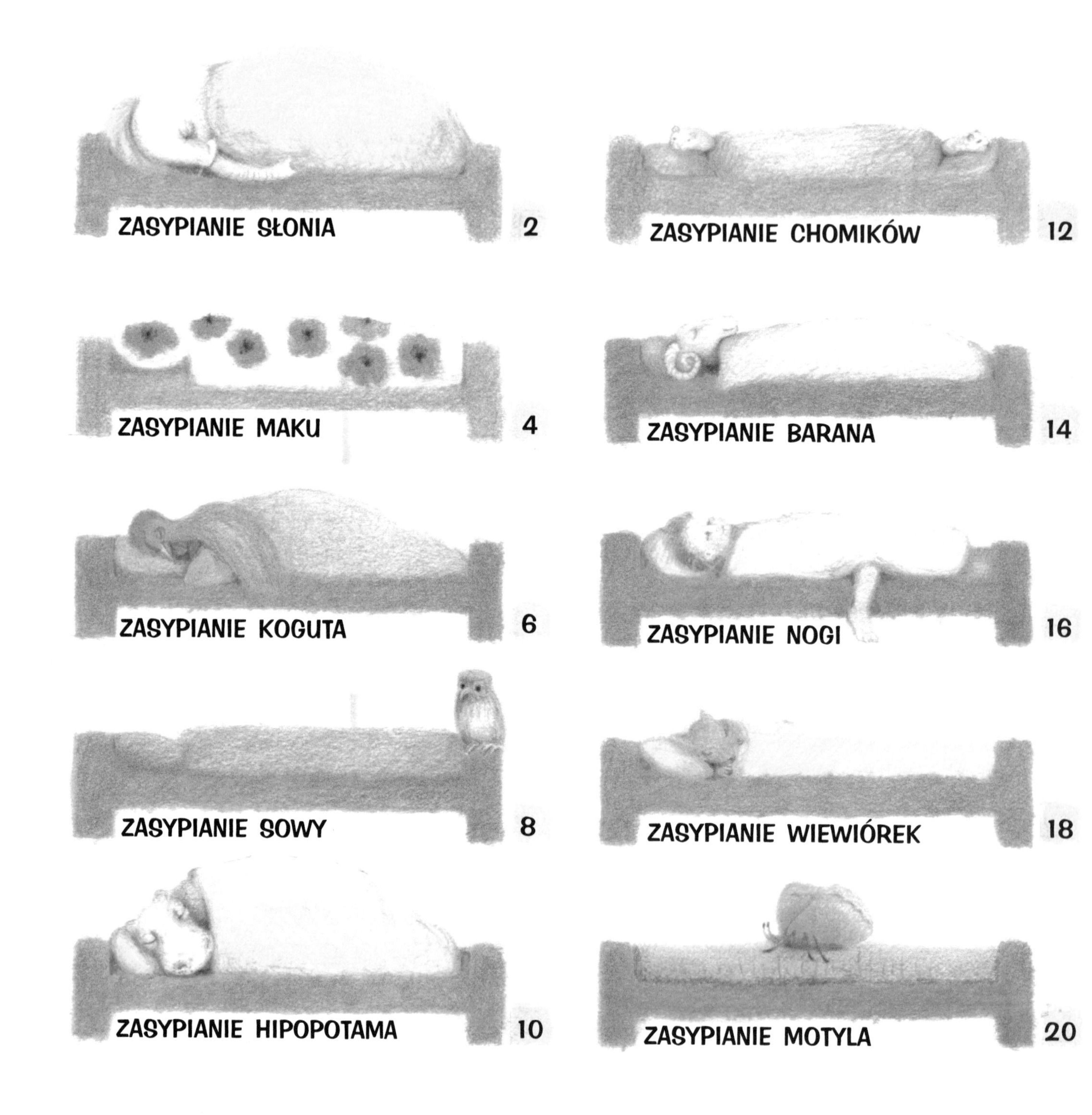

SPIS WIERSZY

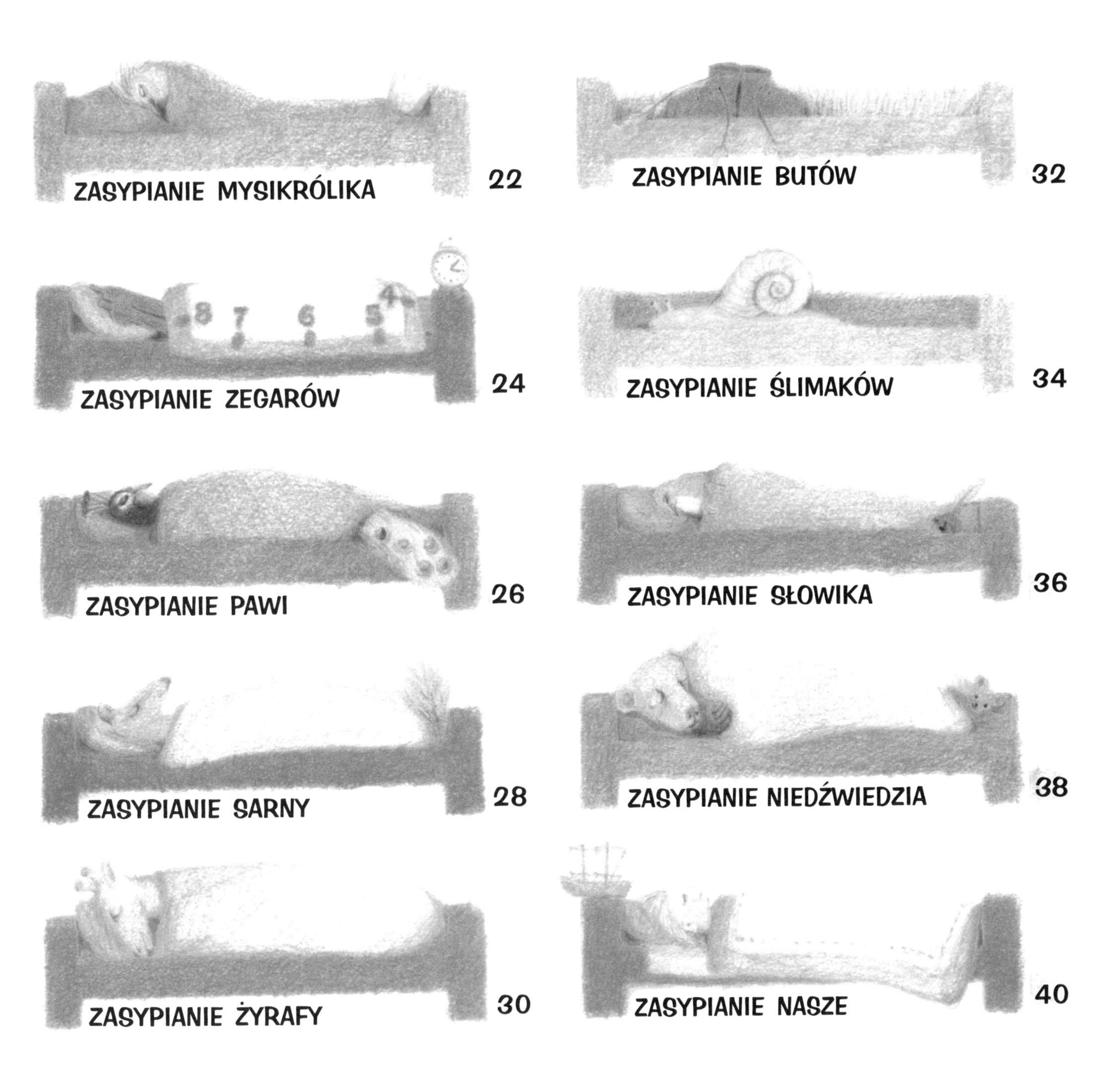

Ilustracje: Michalina Cieślikowska-Kulmatycka

Opracowanie graficzne: Ireneusz Woliński

Wydawca: Oficyna Wydawnicza G&P
Henryk Gościański, Karol Prętnicki
ul. Szarych Szeregów 23
60-462 Poznań
tel./fax (061)842 57 54/55
www.gmp.poznan.pl
info@gmp.poznan.pl

ISBN 978-83-7272-148-8